D1004540

Il faut sauver la forêt !

Hachette Livre, 2016 pour la présente édition.
Adaptation : Arnaud Huber.
Création graphique du roman : Audrey Thierry.

Hachette Livre, 58, rue Jean-Bleuzen, 92178 Vanves Cedex.

mini ninjas

Il faut sauver la forêt !

Au Pays sous les nuages,
les hommes vivaient en
harmonie avec la nature…
jusqu'à l'arrivée d'Ashida,
le terrible seigneur de guerre.
Grâce à la magie Kuji, Ashida
transforme les animaux
en samouraïs obéissants.
Son but ? Régner sur le monde
grâce à son armée maléfique.
Heureusement, le Vénérable
Maître et ses Mini Ninjas
sont là pour l'en empêcher !

LE VÉNÉRABLE MAÎTRE NINJA

Doté d'une grande sagesse,
le Vénérable Maître Ninja
s'est donné pour mission
de préserver la nature.
Il maîtrise les techniques ninjas
aussi bien que la puissante
magie Kuji et sait qu'il est
le seul à pouvoir former
les Mini Ninjas. L'avenir
du Pays sous les nuages
en dépend !

Hiro est le plus courageux et le plus doué des Mini Ninjas ! Même s'il lui reste encore beaucoup à apprendre, Hiro maîtrise déjà un pouvoir magique : il peut fusionner avec les animaux et, en particulier, avec Fox, son fidèle compagnon. Il adore ses amis et voit toujours le bon côté des choses.

FUTO

C'est le plus gentil, le plus grand et le plus fort des Mini Ninjas ! D'un naturel très calme, Futo peut devenir rouge de colère si on s'en prend à ses amis ou aux animaux. Dans ce cas-là… gare à son marteau !

SUZUME

Suzume est la plus sage des Mini Ninjas. Elle ne se fâche jamais… même quand Hiro l'agace ! Avec sa flûte magique, Suzume est capable d'entrer en connexion avec la nature, ce qui fait d'elle une ninja redoutable !

SHUN, KUNOCHI ET TORA

Les trois autres ninjas de la bande ont tous un talent différent ! Shun est le plus discret : il peut se fondre dans n'importe quel décor. C'est aussi un grand inventeur de gadgets en tout genre ! Kunochi est capable de voir le futur… mais elle est encore trop jeune pour comprendre le sens de ses visions ! Quant à Tora, il est aussi agile qu'un fauve… Normal : il se prend pour un tigre !

SHOKO

Cette jeune guerrière est la petite-fille d'Ashida. C'est elle qui commande les samouraïs sur le terrain. Très douée en arts martiaux, Shoko est une redoutable adversaire pour Hiro et ses amis !

ASHIDA

Grâce à ses samouraïs, Ashida, le terrible seigneur de guerre, espère vaincre l'armée secrète des Mini Ninjas pour pouvoir détruire la nature tranquillement !

CHAPITRE 1

L'orage gronde au-dessus de la forteresse d'Ashida. Comme tous les soirs, le terrible seigneur de guerre prépare un plan pour détruire la nature. En effet, Ashida déteste les arbres.

Il n'aime pas non plus les animaux. Il préfère les transformer en samouraïs obéissants, grâce à la magie noire de son collier de perles.

Une immense maquette du Pays sous les nuages recouvre le sol de la salle de guerre. Kitsune, le fidèle serviteur d'Ashida, est suspendu par une corde au-dessus d'elle. Il attend les consignes de son maître.

– Je veux pouvoir aller au plus vite de ma forteresse de l'Est à ma forteresse de l'Ouest ! déclare Ashida en frottant sa longue barbichette blanche.

Kitsune trempe un pinceau dans de la peinture rouge. Puis il trace le chemin entre les deux forteresses en prenant soin de contourner le village.

– Kitsune, il me faut une route en ligne droite ! tonne Ashida.

– Pour cela, il faudrait démolir le village, votre Sérénissime Splendeur, fait timidement remarquer Kitsune.

Les yeux d'Ashida deviennent rouges. Des éclairs jaillissent de ses mains. Il les dirige vers la maquette.

Le village factice est projeté au loin.

– Nous détruirons ce qu'il faudra ! gronde Ashida sans la moindre pitié.

Shoko, sa petite-fille, a assisté à toute la scène. Elle avance vers son grand-père, les mains dans le dos, comme un général avant la bataille. Puis elle s'incline avec respect.

– Ne vous inquiétez pas, grand-père ! Je superviserai moi-même les travaux. Le village ne sera bientôt plus qu'un mauvais souvenir.

Dans les Gorges Secrètes, au cœur de la forêt, la rivière coule tranquillement sous le soleil.

Le ninja-raft des Mini Ninjas flotte à la surface.

Tout près de la berge, Hiro coupe quelques bambous à l'aide de son sabre de bois. Il le fait tournoyer dans tous les sens, comme s'il affrontait un ennemi. Il a l'air de beaucoup s'amuser. Soudain, son ami Futo l'interrompt.

– Qu'est-ce que tu fabriques, Hiro ? lui demande-t-il tristement.

Pourquoi massacres-tu tous ces jolis bambous ? Ils ne t'ont rien fait.

Assise sur une épaule du grand Futo, la petite Kunochi regarde elle aussi Hiro avec un air déçu.

– Euh… je m'entraîne à devenir un vrai ninja, bafouille ce dernier.

Futo n'est pas convaincu par cette explication. Pour lui, la nature est notre bien le plus précieux. Il ne supporte pas qu'on lui fasse du mal. Futo est donc très fâché. Il s'apprête à disputer son meilleur ami, quand il entend la voix douce du Maître dans son dos.

– Calme-toi, Futo ! lui dit celui-ci. C'est moi qui ai demandé à Hiro de tailler ces bambous :

ils poussent trop vite et étouffent les autres plantes.

Soulagé, Futo sourit de toutes ses dents.

– Je vais aider Hiro alors ! s'exclame-t-il en brandissant son marteau.

C'est alors que Suzume et Shun arrivent en courant.

– Maître ! s'écrient-ils. Les samouraïs d'Ashida sont en train de détruire la forêt !

– Il n'y a pas une seconde à perdre ! déclare Hiro.

CHAPITRE 2

Hiro, Futo et Suzume grimpent au sommet de la colline, tout près du village. De là-haut, ils observent la vallée. Et ils sont catastrophés par ce qu'ils voient ! Un chemin de pierre coupe la forêt en deux.

De nombreux arbres ont été abattus.

– Ils sont en train de créer une route, constate Hiro.

Fox, son renard, gémit de chagrin. Futo, lui, brandit son marteau.

– Je vais casser tout ça, moi ! s'exclame-t-il avec colère.

– Ça m'étonnerait beaucoup que ça suffise à arrêter Shoko et ses samouraïs, réplique Suzume.

Nakata, le forgeron du village, rejoint les Mini Ninjas. Il est accompagné de sa femme, Sakura, et de ses enfants.

– Si Ashida a décidé de faire une route en ligne droite, ses samouraïs devront raser le village, s'inquiète-t-il.

– On ne peut pas les laisser faire… ajoute sa femme, désespérée.

Hiro fronce les sourcils et serre les poings.

– Sûrement pas ! affirme-t-il avec bravoure. On va trouver un moyen de les arrêter.

Au même instant, un samouraï volant passe au-dessus de leurs têtes. Il porte un chargement de pavés. Les Mini Ninjas comprennent tout de suite qu'empêcher la construction de cette route ne va pas être facile ! Suzume prend les choses en main.

– Pour commencer, il faut vous mettre à l'abri, dit-elle aux villageois.

Hiro, Suzume et Futo conduisent Nakata et sa famille au Temple des Vœux, un peu plus bas sur la colline. Les villageois ont établi des campements de fortune. Futo rassure le forgeron et sa famille :

– Ici, vous serez en sécurité…

– Pendant que nous, on s'occupe d'Ashida ! complète Hiro.

Najima, le fils de Nakata, est très impressionné.

– Moi aussi, je veux devenir un ninja ! s'écrie-t-il.

– On verra ça quand tu seras un peu plus grand, Najima… intervient sa grande sœur, Aïka. Plus grand et plus fort, comme Hiro !

Aïka pose une main sur l'épaule du jeune ninja.

– Merci de nous aider, déclare-t-elle de sa voix la plus douce.

Hiro rougit et bafouille, sous les regards amusés de Futo et de Suzume, qui pouffent de rire. Hiro a beau avoir l'air sûr de lui, c'est en réalité un grand timide. Il ne sait plus quoi dire !

– Bon, on a une route à détruire, nous ! rappelle Futo, pour mettre fin à l'embarras de son ami.

– Tu as raison, Futo ! renchérit Suzume. Et d'ailleurs, j'ai une petite idée...

Les Mini Ninjas rejoignent la route. Trois samouraïs sont au travail. Hiro grimpe sur la branche d'un arbre pour faire le guet, pendant que Suzume et Futo se chargent de casser les pavés. Futo se sert de son marteau. Puis Suzume plante des graines de bambou dans les blocs de pierre fissurés. Quand elle a fini, elle s'assoit en tailleur et se met à jouer de la flûte. La mélodie qui sort de son instrument magique a le pouvoir de faire pousser les plantes.

De fins bambous commencent à se dresser.

Les trois samouraïs que surveille Hiro passent plus de temps à se chamailler qu'à travailler. Le jeune ninja court donc retrouver ses amis. Suzume vient de terminer son morceau.

Elle regarde autour d'elle, l'air désespéré. Grâce à sa magie, elle a réussi à faire pousser quelques bambous, mais pas assez pour recouvrir toute la route.

– Je suis désolée, s'excuse-t-elle tristement.

– Ce n'est pas ta faute, la rassure Futo. Je crois que, cette fois-ci, les Mini Ninjas ne sont pas de taille à lutter, conclut-il, découragé.

Hiro n'est pas d'accord. Selon lui, un Mini Ninja ne s'avoue jamais vaincu.

– En cas de besoin, un vrai ninja ne doit pas avoir honte de… demander de l'aide ! s'exclame-t-il.

CHAPITRE 3

Dans le dojo du ninja-raft, Hiro, Futo et Suzume écoutent attentivement le Maître. Ce dernier a réuni tous ses Mini Ninjas. Pour lutter contre Ashida et l'empêcher de construire sa route, ils vont devoir unir leurs forces.

– Dans deux jours, une éclipse
de soleil se produira dans le ciel,
explique le Maître. Celle-ci va
considérablement augmenter la
puissance de la magie Kuji.

Il marque une pause, puis se
tourne vers Shun.

– Apporte-nous les graines de bambou que tu conserves dans ton laboratoire, lui demande-t-il. J'ai une idée !

Depuis le sommet de la colline, Shoko observe ses samouraïs avec mécontentement. Elle baisse sa longue-vue.

– Bande d'incapables ! Ils sont trop lents ! s'exclame-t-elle avec colère.

Le mauvais caractère de Shoko est une chance pour les Mini Ninjas. Maintenant qu'elle a rangé son instrument, ils peuvent

passer à l'action sans risquer de
se faire remarquer.

Hiro intervient le premier. Le
ninja a enfilé sa cagoule noire.
Celle-ci ne laisse apparaître que
ses yeux. Il repère un samouraï
qui avance sur la route, un pavé

dans les bras. Rapide comme une ombre, Hiro surgit de la forêt. Il appuie sur le point Kuji du samouraï, au milieu de son casque, et retourne se cacher parmi les arbres. Le samouraï, lui, retrouve sa forme de lapin. Ses deux camarades sont très surpris.

Futo profite de leur étonnement pour sortir de la forêt à son tour. D'un grand coup de marteau, il brise le pavé que tient l'un des samouraïs.

Puis il retourne aussitôt se cacher. Le piège fonctionne ! Le samouraï se lance à sa poursuite. Il s'enfonce entre les arbres. Ni une ni deux, Hiro surgit par surprise et appuie sur son point Kuji pour le délivrer de la magie d'Ashida. Pendant ce temps, Tora libère le samouraï resté seul.

À la nuit tombée, il ne reste que deux samouraïs sur la route. Shun leur jette une bombe fumigène. Puis Futo roule comme un tonneau dans le nuage de fumée. Il percute les deux samouraïs, qui se transforment aussitôt en lapins et déguerpissent à toute vitesse.

Tout ce remue-ménage a attiré l'attention de Shoko, qui a ressorti sa longue-vue.

– Maudits mini minus ! enrage-t-elle en tapant du pied.

Shoko ne peut cependant pas affronter ses ennemis toute seule.

Elle tourne son regard vers la forteresse de son grand-père, au loin.

– Il me faut des renforts…

CHAPITRE 4

Une fois Shoko partie, Suzume
et Kunochi sortent de leur
cachette. Elles commencent à
planter les graines de bambou.
Aïka et Najima aident les deux
Mini Ninjas.

– Grâce à la magie, la nature va sauver la nature ! assure Suzume en souriant.

La petite équipe travaille dur. Mais la nuit tombe bientôt sur la vallée. Il est l'heure de rentrer au Temple.

Les enfants sont fatigués. Ils boivent le thé que leur a préparé Sakura. Suzume remercie le forgeron et sa femme.

– Vos enfants nous ont bien aidés, mais nous avons encore du travail.

– Il faut qu'on ait terminé avant l'éclipse ! précise Kunochi de sa petite voix aiguë.

– Je me demande bien comment cette éclipse de soleil va nous aider à repousser Ashida… s'interroge à voix haute le forgeron.

Suzume et Kunochi n'ont pas le temps de lui répondre. Elles ont entendu des bruits de pas…

Ouf ! Ce sont seulement les garçons, qui sont de retour.

– Il est l'heure de retourner au camp, les filles ! annonce Hiro.

Le visage du petit Najima s'illumine.

– Votre camp secret, c'est ça ? demande-t-il. Je peux venir avec vous ? Moi aussi, je veux devenir un ninja !

Aïka calme son frère.

– Laisse-les tranquilles ! lui dit-elle doucement. Nos héros ont besoin d'une bonne nuit de sommeil pour reprendre des forces.

Aïka regarde Hiro en clignant des yeux et lui sourit tendrement. Le ninja devient rouge comme une tomate ! Il rit un peu bêtement. Suzume intervient.

– Allez, repos, Hiro le héros ! lui glisse-t-elle malicieusement.

Le lendemain matin, les Mini Ninjas se remettent au travail. Suzume et Kunochi plantent les graines de bambou restantes.

– Vite, Kunochi ! Le soleil est bientôt au zénith ! dit la jeune ninja à son amie.

– Ne t'inquiète pas ! On a presque fini, répond la petite fille, épuisée mais heureuse.

Soudain, Suzume aperçoit deux samouraïs volants dans le ciel. Ils viennent de la forteresse et se dirigent vers les garçons.

– Futo et Hiro vont avoir besoin de nous ! s'exclame Suzume.

Un peu plus loin, les deux ninjas sont occupés à délivrer les lapins transformés en samouraïs par Ashida.

– Attention, Futo : attaque aérienne ! s'écrie tout à coup Hiro.

Trop tard ! Un samouraï volant est déjà tout près d'eux. Les garçons ont juste le temps de s'enfuir pour se réfugier dans la forêt.

En courant, Futo casse deux pousses de bambou. Le plus fort des Mini Ninjas s'en veut beaucoup. Hiro s'inquiète :

– Nos pousses sont plus fragiles que les samouraïs de Shoko...

Il réfléchit à un plan pour arrêter ces derniers, quand Suzume arrive.

– Coucou,
les garçons !

La jeune fille n'est pas
venue les mains vides.

– Des cerfs-volants !
s'écrie Hiro. Génial !

CHAPITRE 5

Les deux samouraïs volants vont et viennent au-dessus du chantier. Ils ne voient pas Hiro et Suzume, qui s'approchent discrètement dans leur dos, accrochés à leurs cerfs-volants.

Les deux ninjas n'ont qu'à
tendre le bras pour toucher leurs
points Kuji. *Pouf !* Les samouraïs
redeviennent des aigles. Mission
accomplie !

Shoko n'a pas perdu une
miette du spectacle. À travers sa
longue-vue, elle observe Futo,

qui tire les ficelles des cerfs-volants pour ramener ses amis sur la terre ferme. La jeune guerrière enrage. Elle lève le bras en criant :

– Deuxième escadrille, à l'attaque !

Deux nouveaux ennemis volants décollent aussitôt. Hiro s'inquiète : si Shoko a d'autres samouraïs en réserve, ses amis et lui ne pourront pas tous les arrêter. Suzume le rassure :

– Rien n'est perdu. Nous avons fini de planter toutes les graines.

– Et le soleil est presque au zénith, ajoute Futo.

– Alors le spectacle va pouvoir commencer ! déclare Hiro avec un immense sourire.

À cet instant, la lune passe devant le soleil, et la magie Kuji entre en action. D'un seul coup, toutes les graines plantées par les Mini Ninjas se mettent à germer et se transforment en de gigantesques bambous.

En quelques secondes, la route disparaît sous la végétation. La nature a repris ses droits.

Effrayés, les deux derniers samouraïs volants font demi-tour et repartent vers la forteresse. Les Mini Ninjas ont déjoué le plan d'Ashida ! Shoko est très éner-vée. Elle aurait bien besoin d'un biscuit au ginseng pour se consoler d'avoir raté sa mission.

Plus tard, dans la soirée, les villageois regagnent leurs maisons. Au sommet de la colline, Hiro, Futo et Suzume regardent l'horizon. Nakata et sa famille les rejoignent.

– La magie des maîtres ninjas est encore plus puissante que je le croyais ! s'exclame le forgeron, impressionné.

– On vous l'avait dit : la nature peut sauver la nature ! répond joyeusement Suzume.

Les Mini Ninjas raccompagnent la petite famille chez elle. Avant qu'ils ne partent, Sakura leur offre un plat de

poisson pour les remercier. Il a l'air très appétissant !

– Miam ! Merci ! s'exclame Hiro. Ça va nous changer du riz au riz !

– Quoi ?! Vous ne mangez que du riz ? demande Najima, surpris.

Le petit garçon semble horrifié.

– Euh… je crois que je ne veux plus devenir un ninja, finalement… dit-il, déçu.

Les Mini Ninjas éclatent de rire. Aïka s'approche alors d'Hiro. Elle l'embrasse tendrement sur la joue. Encore une fois, le jeune ninja devient tout rouge. Gêné, il sourit bêtement, pendant que ses amis commencent à redescendre la colline.

– Hiro ! l'appelle Futo. Dépêche-toi, ou on va tout manger !

Voilà une menace qui réveille Hiro le gourmand !

– J'arriiiiiiiiive ! s'écrie-t-il en dévalant la colline, sous le soleil couchant.

Aujourd'hui, Hiro et ses amis ont réussi à déjouer le plan d'Ashida. Mais le puissant magicien n'a pas dit son dernier mot. Il rêve toujours de contrôler la nature et tous les animaux. Hiro et ses amis doivent encore s'entraîner pour protéger le Pays sous les nuages, ensemble…

 FIN

TU AS AIMÉ CETTE HISTOIRE ?
ALORS RETROUVE TRÈS BIENTÔT LES

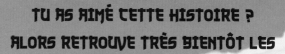

POUR UNE NOUVELLE AVENTURE !

TOUS TES HÉROS T'ATTENDENT
SUR LE SITE :
WWW.BIBLIOTHEQUE-VERTE.COM